LA CLÉ D'OR

D0766388

À GilAud
A. C.

**NOUS SOMMES TOUS DIFFÉRENTS,
DONC TOUS EXCEPTIONNELS.**

PROVERBE ARAMÉEN

 Qu'as-tu pensé de cette aventure des Kinra Girls ?
Donne ton avis sur http://enquetes.playbac.fr
en saisissant le code 747648
et gagne un livre de la même collection
(si tu fais partie des 20 premières réponses).

Éditions Play Bac, 33, rue du Petit-Musc, 75004 Paris ; www.playbac.fr

LA CLÉ D'OR

MOKA

ILLUSTRATIONS
ANNE CRESCI

ÉDITIONS

kinra girls

IDALINA

KUMIKO

Kumiko est japonaise. C'est une peintre talentueuse, qui aime aussi la photo et la mode.

Idalina est espagnole. Elle joue de la guitare et c'est une superbe chanteuse de flamenco.

NAÏMA

RAJANI

ALEXA

Naïma est afro-américaine. Son père est américain et sa mère vient d'Afrique. Le cirque est sa passion.

Rajani est indienne. Elle adore danser, surtout les danses traditionnelles de son pays.

Alexa est australienne. Elle monte à cheval et souhaite devenir championne d'équitation.

RUBY
ennemie
des Kinra Girls

JENNIFER
ennemie
des Kinra Girls

MICHELLE
ennemie
des Kinra Girls

LOUISE
amie
des Kinra Girls

JOHANNIS
ami
des Kinra Girls

MICKAEL
ami
des Kinra Girls

JOHN
ami
des Kinra Girls

M. MEYER
le directeur

MISS DAISY
l'assistante
du directeur

MME BECKETT
le professeur
d'anglais

**SIGNORA
DELLA TORRE**
le professeur
de chant

MME JENSEN
le professeur
de danse

MAÎTRE WANG
le professeur de dessin

EMMA
l'infirmière

M. RAMOS
le professeur de guitare

RAINER
le professeur
d'équitation

M. TREMBLAY
le professeur
des arts du cirque

LUIGI
le chef cuisinier

M. BROWN
le professeur
de mathématiques

MME GANZ
le professeur
d'art dramatique

Chapitre 1
Pauvre Aladin !

En compagnie de Mickael et de Johannis, Alexa promenait Jazz, le chien du directeur. Au-dessus de leurs têtes, le ciel charriait de sinistres nuages noirs. Alexa frissonna et resserra les pans de son manteau.

– C'est vraiment bizarre pour moi d'avoir froid, dit-elle. Là où je vis, en Australie, quand il fait moins de 20°, les gens s'imaginent qu'ils sont au pôle Nord !

Pauvre Aladin !

Alexa rappela Jazz qui s'éloignait vers le bois. Il était temps de rentrer. Le labrador lui lança un regard suppliant, mais Alexa ne se laissa pas attendrir. Des gouttes de pluie s'écrasaient déjà sur les dalles du perron quand le petit groupe en monta les marches.

– De justesse, dit Johannis. Dans trois minutes, il va tomber des cordes !

– C'est pourri, ce pays, soupira Alexa. Depuis que je suis arrivée ici, les belles journées se comptent sur les doigts d'une main !

– Un peu de patience, répondit Johannis. Bientôt, il neigera. C'est l'une des choses que je préfère en hiver. Tu vas adorer ça !

– C'est vrai ? demanda Alexa.

Je n'ai jamais vu la neige !

Johannis lui jura qu'il neigerait dans quelques semaines. Il avait vérifié sur Internet ! Alexa ramena Jazz à son maître puis monta rejoindre les autres Kinra Girls. Naïma, Idalina et Rajani travaillaient sur le spectacle de fin d'année. Leur classe devait monter l'histoire d'Aladin et de la lampe merveilleuse sous la forme d'une pantomime[1].

– C'est compliqué, se plaignit Idalina, de raconter Aladin quand on ne peut pas parler !

– Eh bien, à la place on chantera et on dansera ! répondit Rajani. Bon alors, reprenons… Avec Mme Beckett, on doit d'abord découper l'histoire en plusieurs scènes. On a intérêt à s'y mettre sérieusement ! Hello, Kumiko !

1. Pantomime : *représentation théâtrale où les acteurs jouent sans parler (ils miment).*

Tu as l'intention de participer ou pas ?
Kumiko était assise devant l'ordinateur de
Rajani. Elle se livrait à l'une de ses
occupations
préférées : le classement de ses photos.
– Ça me barbe, dit Kumiko.

Rajani fit une drôle de tête. Naïma s'empressa
de prendre la parole avant qu'une nouvelle
dispute éclate entre les deux colocataires.
– Tu pourrais peut-être t'occuper de

tes photos plus tard ?

Kumiko tourna sur sa chaise pour regarder ses amies.

– On ne fait plus rien d'intéressant ! s'écria-t-elle. Enfin, quoi ! J'ai photographié le chat fantôme[2] et c'est comme si ce n'était jamais arrivé ! Ça fait des semaines qu'on reste tranquillement dans nos lits alors que l'aventure nous appelle !

– Faut toujours que tu exagères, rétorqua Rajani.

Alexa leva le doigt comme si elle était en cours.

– Tout est une question d'organisation, remarqua-t-elle. C'est un truc que ma mère m'a appris. Bon, c'est vrai, je n'ai jamais suivi ses conseils, mais il n'empêche qu'elle a raison. Premièrement, on fait nos devoirs. Aujourd'hui, on n'en a pas, ça tombe bien… Mme Beckett nous a seulement demandé de préparer

2. *Voir le tome 2 des Kinra Girls,* Le Chat fantôme.

un découpage rapide pour lundi.
On n'a pas besoin d'y passer la soirée !
Débarrassons-nous de ce travail
maintenant. Et nous aurons toute la nuit
et tout le week-end pour nous amuser !

– Je suis d'accord, approuva Naïma.

– Moi aussi, déclara Rajani. Sauf que
je suis fatiguée. Alors, pas d'expédition
ce soir !

Kumiko croisa les bras, l'air boudeur.

– C'est ce que je disais : rien d'intéressant !

– Mais demain, je veux bien, répondit
Rajani.

– J'ai une idée, proposa Idalina. Après
le dîner, on pourrait se réunir ici et
discuter de ce que nous avons envie
de faire. Alexa a raison. Nous devons
mieux nous organiser.

– Moi, j'ai envie de trouver le trésor[3] !
s'exclama Kumiko. Je suis sûre que

3. *Voir les tomes 2, 3 et 4 des Kinra Girls,* Le Chat fantôme,
Les Griffes du lion *et* Qui a peur des fantômes ?

ce n'est pas une légende.

– Vous croyez que le chat fantôme
essaie de nous aider ? demanda Naïma.
Il a guidé Rajani vers la bibliothèque.
Sans lui, on n'aurait pas découvert
le passage secret dans la cheminée,
ni le plan des souterrains. Qui ne nous
sert pas à grand-chose tant qu'on ne sait
pas où est l'entrée...

– C'est tellement étrange que le chat
fantôme apparaisse sur la photo...
murmura Idalina. Il était juste à côté
de nous et on ne l'a pas vu. Il faisait noir
dans la bibliothèque, mais quand même...

– Rajani peut obliger le chat fantôme
à venir ! dit soudain Alexa.

– Comment ça ? s'étonna Kumiko.

– Si, si, c'est évident ! s'excita Alexa.
La seule d'entre nous qui l'a vraiment vu,
c'est Rajani. Et ce n'est pas un hasard, ça.

Rajani est spéciale.

– Spéciale ? répéta Rajani. Merci bien !

– C'est la vérité, répondit Alexa. Tu as réussi à me rendre la mémoire, tu as guéri un des chatons avec tes massages, tu as fait un rêve prémonitoire quand on était au Japon[4]...

– Tu marques un point, admit Kumiko. Alors, comment Rajani pourrait-elle obliger le chat fantôme à revenir ?

– Il faut qu'elle aille dans la bibliothèque, déclara Alexa. La nuit. Heu... sans nous.

– Ah non ! protesta Rajani. Il n'en est pas question ! D'ailleurs, quand j'ai rencontré le chat fantôme, il faisait jour et c'était dans un couloir ! Et je ne veux plus en entendre parler ! On a du travail et tout le monde va s'y mettre et tout le monde, ça signifie toi aussi, Kumiko !

Rajani ramassa les feuilles étalées sur son lit

---

4. *Voir le tome 5 des Kinra Girls,* Destination Japon.

d'un geste brusque et les tendit à Idalina.

> – Alors, toi, tu écris ! Scène 1 : Aladin est chez lui avec sa mère.

Idalina prit timidement les feuilles et enleva le capuchon de son stylo. Alexa et Kumiko échangèrent un regard. Hou ! là, là ! Il valait mieux ne pas insister quand Rajani était dans ce genre d'humeur !

> – Mais, dans les contes des *Mille et Une Nuits,* Shéhérazade raconte les histoires à son mari le roi. Ne devrait-on pas commencer par ça ? demanda Naïma.
>
> – Ah... oui, fit Rajani. J'avais oublié.

Naïma et Idalina faisaient preuve de bonne volonté et essayaient de rester concentrées. Malgré leurs efforts, elles étaient bien distraites. Kumiko pensait à beaucoup de choses et aucune n'avait de rapport avec Aladin. Alexa gribouillait des têtes de bonshommes sur son cahier. Elle non plus n'était pas très attentive...

Rajani était si perturbée qu'elle se contentait
de découper le récit en plusieurs parties.
Elle n'enlevait rien. Or ce n'était pas du tout
ce qu'il fallait faire ! Mme Beckett avait
pourtant donné des conseils à ses élèves.
Le spectacle était une pantomime, pas
une pièce de théâtre. Chaque scène était
une sorte de « tableau » avec danse, chant,
acrobaties, magie... Et il ne pouvait pas
y avoir plus de six scènes au total.
Les Kinra Girls ne suivaient pas les consignes
de Mme Beckett. Elles ne travaillaient pas,
elles se débarrassaient d'une corvée.

Le message
du chat fantôme

Miss Daisy, l'assistante du directeur, entra dans le réfectoire à l'heure du dîner. Elle souffla dans son sifflet à deux reprises pour attirer l'attention des élèves.

– Bonsoir tout le monde ! cria-t-elle gaiement. Je vous annonce que, dès demain soir, nous commençons la Semaine du goût ! Notre chef cuisinier

et son équipe vont nous préparer
des recettes du monde entier !
C'est pas super, ça ?
Miss Daisy expliqua que le but était de faire
découvrir à chacun d'entre eux la cuisine
des pays d'où venaient ses camarades.
C'était aussi une occasion pour les élèves
d'apprendre à cuisiner. Ceux que ça
intéressait étaient invités à s'inscrire.
— Et bien sûr, si vous avez des
recettes à nous suggérer, nous
sommes preneurs ! conclut
Miss Daisy avant de sortir.

– Je vais m'inscrire, décida Naïma,
la gourmande. C'est amusant, la cuisine !
– Peut-être que moi aussi, répondit
Alexa. Je pourrais envoyer un e-mail à
maman pour lui demander ses recettes…
– Pitié ! supplia Kumiko. Pas de petits
plats avec de la Vegemite[5] !
– Hé, vous exagérez ! protesta Alexa
quand ses amies éclatèrent de rire.
Mais même elle se mit à rire.
– Passons aux choses sérieuses, dit
Kumiko à mi-voix. Que fait-on ce soir ?
Rajani se renfrogna. Elle savait très bien
à quoi pensait Kumiko !
– On ne devait pas juste discuter ?
rappela Idalina.
Ce fut au tour de Kumiko de prendre un air
boudeur. De l'action ! Elle voulait de l'action !
– Vous savez ce que j'aimerais faire ?
demanda Alexa. Aller me promener

5. Vegemite : pâte à tartiner typiquement australienne, fabriquée
à base de levure de bière, d'extraits de légumes et d'épices.

dans le cimetière en pleine nuit...

– Ça ne va pas, non ? s'écria Naïma.

– Chuut ! fit Rajani. Tu vas attirer
l'attention.

– Je plaisante ! dit Alexa. Ce ne serait
pas prudent de traverser la forêt.
Il y a quand même des ravins.

Au moment où les Kinra Girls quittaient
le réfectoire, Miss Daisy vint à leur rencontre.

– Rajani, tu veux venir dans mon bureau ?
Ta grand-mère t'attend au téléphone.

– Il n'y a rien de grave ? s'inquiéta Rajani.

– Non, non ! Je ne peux pas t'en dire plus,
ta grand-mère m'en voudrait !

Rajani suivit Miss Daisy. Les filles regagnèrent
la chambre 325.

Rajani était ravie à l'idée de parler avec
Karisma, sa grand-mère adorée. Karisma
était porteuse d'une bonne nouvelle.

La cousine de Rajani avait donné naissance

à un garçon et à une fille ! Rajani était heureuse
pour sa cousine qu'elle aimait beaucoup.

Le sourire aux lèvres, Rajani montait l'escalier.
En arrivant au deuxième étage, elle marqua
un temps d'arrêt. Devant elle, le long couloir
qui menait à la bibliothèque... désert et
silencieux. Rajani eut un pincement au cœur.
Les paroles d'Alexa lui revenaient en
mémoire. Était-elle vraiment « spéciale » ?
Rajani se raidit. Elle avait réagi comme
une trouillarde ! Alexa et Kumiko étaient
toujours les premières à se lancer dans
l'aventure. Même Naïma et la timide Idalina
faisaient preuve d'audace. Et elle, que
faisait-elle ? Sa mademoiselle-donneuse-
de-leçons-petite-fille-modèle ! Elle aussi,
elle était capable de prendre des risques !
Pour les bêtises comme pour le reste, Rajani
voulait être la meilleure. Elle s'imaginait déjà
raconter à ses amies comment, n'écoutant

que son courage, elle s'était rendue à la
bibliothèque. Seule ! Et hop, sans vraiment
s'en rendre compte, Rajani avança.
Arrivée devant la porte de la bibliothèque,
elle haussa les épaules. Non mais, quelle
idiote ! À cette heure-ci, c'était fermé,
évidemment ! Rajani était déçue et
un peu soulagée malgré tout. Elle fit
demi-tour et ralentit son pas.
Lentement, Rajani tourna
sur elle-même…
Le chat fantôme était
au milieu du couloir
et il la regardait.

Rajani ne parvenait plus à bouger. Elle était hypnotisée par ces yeux transparents et lumineux fixés sur elle. Elle sentait ses forces la quitter, elle n'avait plus aucune énergie. Ses oreilles bourdonnaient. Sa vision se brouilla. Et puis une image, violente comme un éclair dans la nuit, lui traversa la tête.

Et soudain, il n'y eut plus rien dans le couloir. Le chat fantôme s'était volatilisé ! Rajani s'étonna de ne pas avoir eu peur. N'importe qui d'autre se serait déjà enfui en hurlant ! Alexa avait-elle raison en affirmant qu'elle était spéciale ?

Le chat fantôme lui avait envoyé un message, sous la forme d'une image... Qu'était-ce ? Rajani était sûre que c'était quelque chose qu'elle avait déjà vu. Mais où ? Elle repartit vers l'escalier. Il était inutile de traîner plus longtemps par ici. Elle sursauta en entendant les voix des élèves qui chahutaient dans le hall. S'ils savaient que l'école était hantée pour de vrai !

Idalina remarqua aussitôt que Rajani n'avait pas l'air bien quand elle entra dans sa chambre.

– Mauvaises nouvelles ? s'inquiéta-t-elle.

– Quoi ? fit Rajani en s'écroulant sur son lit.

– Ben, ta grand-mère. Qu'est-ce qu'elle voulait ?

– Ah ça... Non, non. Ma cousine a eu des jumeaux.

Rajani poussa un long soupir.

– Je viens de rencontrer le chat fantôme.

Kumiko bondit de sa chaise et vint s'asseoir à côté d'elle.

– Qu'est-ce qui s'est passé ? la pressa-t-elle.

Rajani expliqua ce qui lui était arrivé.

– C'était tellement bizarre... J'avais l'impression que toute mon énergie était aspirée hors de mon corps...

– Le chat fantôme n'est pas un vampire,

quand même ? demanda Naïma, effrayée.

– Enfin, ça n'existe pas, ça ! répondit Alexa.

– Peut-être que si, rétorqua Kumiko,

il y a le chat-vampire de Nabeshima !

C'est un conte japonais très ancien.

Rajani, qui avait besoin d'un moment pour
se remettre de ses émotions, pria Kumiko
de leur raconter l'histoire. Kumiko accepta
bien volontiers.

Le prince Nabeshima était amoureux d'une
jeune fille. Celle-ci était belle et charmante,
mais souffrait de terribles cauchemars.
Une nuit, elle se réveilla et découvrit un
énorme chat noir auprès d'elle. Le monstre
lui sauta à la gorge, la tua, cacha son
cadavre et prit son apparence. Le prince,
évidemment, ne se doutait de rien. Les jours
suivants, la santé du prince se détériora.
Il était épuisé et livide. La vie, petit à petit,
semblait s'échapper de lui et personne

ne parvenait à le guérir. Alors ses gardes décidèrent de rester dans sa chambre pour le surveiller. Un des guerriers réussit à ne pas s'endormir. À sa grande surprise, il vit la jeune fille entrer dans la chambre et se glisser vers le prince avec la souplesse d'un chat... Le guerrier l'empêcha d'approcher davantage. Au bout de plusieurs nuits de cet étrange manège, la jeune fille cessa de venir. Le prince Nabeshima recouvra la santé. Mais le guerrier pensait qu'il n'avait pas fini son travail. Il alla trouver la jeune fille, en prétendant lui apporter un message de son prince. Dès qu'il en eut l'occasion, il lui trancha la tête. Et à la place du corps apparut alors un énorme chat noir... mort pour de bon.

– Bien sûr, c'est une légende, conclut Kumiko, mais il y a beaucoup de gens qui croient qu'il y a toujours un fond de vérité dans les légendes.

– Dans celle-là, ça m'étonnerait !
répondit Alexa.

– Ça va mieux, Rajani ? s'informa Idalina.
Rajani acquiesça.

– J'ai retrouvé mes forces. Le chat fantôme
ne nous veut pas de mal. Au contraire,
je suis persuadée qu'il cherche à nous
aider. Le problème, c'est que je n'arrive
pas à me souvenir où j'ai vu cette image
qu'il m'a envoyée…
Le regard de Rajani se posa sur son ordinateur.
Elle fronça les sourcils. L'ordinateur était
allumé.

– Tu étais en train de t'en servir ?
demanda-t-elle à Kumiko.

– Ben, tu m'as dit que je pouvais y mettre
mes photos ! Je ne faisais que les classer
par thèmes ! Un pour la forêt, un pour…

– L'église ! s'exclama Rajani.

– Heu oui, ça aussi… répondit Kumiko,
surprise.

– Mais non, tu ne comprends pas !
C'est ça, l'image du chat fantôme !
Il m'a montré l'église ! Il y a quelque
chose, là-bas. Il faut y retourner.

– Quand on est allées au village
abandonné, l'église était fermée,
rappela Idalina.

– Il y a sûrement un moyen d'entrer,
remarqua Alexa. On n'a pas vraiment
essayé, la dernière fois. Oh… pourvu
qu'il ne pleuve pas, demain ! On reprend
la chasse au trésor, les Kinra Girls ?

– Kinra Girls *forever*[6] ! crièrent les cinq filles ensemble.

Naïma fit une grimace puis ajouta :

– D'accord, mais pas question d'aller dans le cimetière !

Au Bénin où était née la maman de Naïma, on respectait les ancêtres. On pensait à eux en laissant, chaque soir, un peu de nourriture dans le fond des casseroles. Naïma croyait que les esprits hantaient les cimetières. Certains devenaient méchants parce qu'on avait oublié de les honorer.

– À ta place, j'aurais eu horriblement peur, dit Naïma à Rajani.

– Ça s'est passé tellement vite, je n'ai pas eu le temps ! Et puis, je sens que le chat fantôme est notre ami. Même si c'est un drôle d'ami...

6. Forever *(en anglais) : toujours, pour toujours.*
Kinra Girls forever *signifie Kinra Girls pour toujours, c'est le « cri de guerre » des Kinra Girls.*

Chapitre 3

Espionnées !

Un soleil éclatant resplendissait dans un ciel entièrement bleu. Alexa se leva en poussant des cris de joie.

– Il fait beau ! Il fait beau !
Dans le lit d'à côté, Michelle grogna et rabattit le drap sur sa tête.

– Enfin un samedi pas pourri ! hurla Alexa en se précipitant vers la salle de bains.

– Ça ne va pas, non ? protesta Michelle.

Je dormais, moi !

– T'as qu'à te rendormir ! rétorqua Alexa.

Elle claqua la porte et se mit à chanter en faisant couler l'eau de la douche. Dix minutes plus tard, Alexa quittait sa chambre. Pas de temps à perdre ! Elle s'assura d'abord que ses amies étaient réveillées et descendit prendre son petit déjeuner.

Rajani la rejoignit la première. Son visage était marqué par le manque de sommeil.

– T'as pas l'air bien, remarqua Alexa.

– J'ai fait des cauchemars, avoua Rajani.

Mais je ne me souviens de rien.

Naïma et Idalina arrivèrent à leur tour.

Normalement, l'Espagnole avait un cours de guitare le samedi matin. Mais M. Ramos, son professeur, était absent pour cause de grippe. Idalina adorait M. Ramos et était désolée pour lui. Malgré tout, elle était

contente d'avoir sa matinée libre !
En apprenant que Rajani avait passé
une nuit agitée, Naïma eut une idée.

– Et si on faisait quelques exercices
de yoga comme ceux que tu as montrés
l'autre fois ?

– Ça pourrait m'aider à me sentir mieux,
approuva Rajani. Malheureusement,
les bois doivent être gorgés d'eau avec
toute la pluie qui est tombée, ces jours
derniers. Je ne m'y vois pas faire du yoga !
Et les salles de classe sont fermées
pendant le week-end.

– Les salles, oui, répondit Naïma, mais
pas le cirque !

Kumiko apparut en traînant les pieds. Elle
non plus n'était pas fraîche ! Le thé et les
tartines beurrées lui redonnèrent le sourire.
Rien de tel qu'un solide petit déjeuner pour
vous remonter le moral.

Malgré le soleil, il faisait encore assez froid quand les Kinra Girls sortirent dans le parc. Le chapiteau du cirque n'avait pas de porte. Il suffisait d'écarter les pans de la toile pour entrer. Les filles installèrent les tapis de mousse au milieu de la piste. Elles enlevèrent leurs chaussures et s'assirent en tailleur.

— Fermez les yeux, dit Rajani. Respirez profondément. Gonflez vos poumons, soufflez lentement... Ressentez chaque partie de votre corps, une par une. Vos pieds, vos jambes, votre ventre, vos bras... Respirez... Maintenant, concentrez-vous sur ce que vous souhaitez. Je veux chasser les mauvais rêves. Et vous ?

— Je voudrais ne pas être inquiète tout le temps, répondit Idalina.

— Je ne veux plus avoir peur des fantômes dans le cimetière, dit Naïma.

Alexa entrouvrit un œil pour regarder Naïma.

Elle faillit faire une plaisanterie. Ce n'était vraiment pas le moment !

– J'aimerais trouver le trésor, dit Kumiko.

Ce coup-ci, Alexa ne put s'empêcher de rire.

– Chuut ! fit Rajani. Kumiko, si tu ne fais pas les choses sérieusement, autant arrêter tout de suite.

– D'accord, grommela Kumiko.

Je voudrais avoir meilleur caractère, ça te va comme ça ?

– Ça commence mal ! rigola Alexa.

– Et toi, répliqua Kumiko, tu devrais souhaiter que le yoga t'apprenne à te taire !

Sans dire un mot, Rajani ramassa ses bottes, les enfila et sortit du chapiteau.

– Vous êtes fières de vous ? tempêta Naïma. Maintenant, Rajani est fâchée !

Ce n'est pas parce qu'on est dans un cirque que vous devez faire les clowns !

Idalina se dépêchait de remettre ses bottines.

Il fallait rattraper Rajani au plus vite !
Kumiko se mordillait les lèvres, embêtée.
Rajani n'était pas allée bien loin. Une fois
dehors, elle s'était arrêtée. Allons ! Elle qui
se croyait la plus mature des Kinra Girls se
conduisait comme un bébé ! Elle se retourna
en entendant Idalina l'appeler. Elle lui sourit.

– Ça va, dit-elle. La fatigue me fait
perdre patience.

Rajani posa la main sur l'épaule de l'Espagnole
et la serra fort. Ensemble, elles repartirent
vers le chapiteau.

– On promet d'être sages ! déclara
aussitôt Alexa à leur entrée. Respirez !
Expirez ! Je suis super concentrée !

Rajani ôta ses bottes et se coucha sur le
tapis de mousse.

– On a juste besoin de se détendre,
répondit Rajani. Allongez-vous sur le
dos, les paumes ouvertes vers le haut.

Imaginez que vous flottez sur la mer...
Pendant quelques minutes, on n'entendit plus
que la respiration profonde des cinq filles.

– Je vois un requin qui nage autour de moi,
dit soudain Idalina. Je n'aime pas ça.
Et vous ? Il y a aussi des images qui
vous apparaissent ?

À cet instant, Naïma songeait à sa maman.
C'était une pensée tendre qu'elle avait
envie de garder.

– Ton requin symbolise tes angoisses,
supposa Rajani. Transforme-le en joli
dauphin ! Moi, c'est très bizarre, j'entends
une chanson dans ma tête. C'est une
berceuse que me chantait Parminder,
la cuisinière de mes parents. « *Djô djô
Bâlakrishna, djôgula pâduta tûguve nâ
tûguve nâ, tûguve nâ...* » « Djô djô bébé
Krishna[7], en chantant la berceuse, je te

---

7. *Krishna est l'un des dieux les plus importants de la religion hindoue.
Il est vénéré en Inde où on trouve son image dans presque toutes les
maisons. Il est souvent représenté sous les traits d'un enfant.*

berce, je te berce, je te berce... » Cette
chanson me calmait quand j'étais petite.

– Je suis désolée, soupira Kumiko,
je n'arrive pas à penser à autre chose
qu'au trésor !

– Je ne vaux pas mieux que toi ! rit Alexa.
J'étais en train de m'endormir !

– L'important, c'est que ça nous fasse
du bien, remarqua Rajani. Je me sens
beaucoup mieux. La berceuse de
Parminder est toujours aussi efficace !

Alexa se redressa d'un bond. Elle tira sur sa
manche pour consulter sa montre.

– Oh ! Déjà 10 h 30 ! On y va, les Kinra Girls ?

Idalina regretta l'absence de Jazz. Elle
serait plus rassurée s'il était avec elles.
Malheureusement, M. Meyer était parti
en rendez-vous. La promenade du labrador
était remise à l'après-midi.

Le bois était humide, comme on pouvait

s'y attendre. Il était sombre en dépit du soleil. Il y avait beaucoup de pins, de sapins et d'épicéas dans cette forêt. Les autres arbres avaient perdu leurs feuilles qui composaient un épais tapis sur le sol. Une odeur puissante de fougère et de champignon montait de la terre. Les Kinra Girls marchaient sans parler sur l'étroit sentier. La dernière de la file, Idalina, se retournait fréquemment. Elle avait la désagréable impression qu'on les suivait. Idalina rattrapa Alexa qui la devançait.

— Je crois que nous ne sommes pas
seules, murmura-t-elle.

Alexa ne répondit pas. Elle regarda autour
d'elle en plissant les paupières. Il était bien
difficile d'apercevoir quoi que ce soit tant
les arbres étaient serrés les uns contre
les autres. Pourtant... Alexa hocha la tête
lentement.

— Eh, les filles ! cria-t-elle. Je m'enfonce
jusqu'aux chevilles dans la boue ! Y en a
marre ! Et si on allait dire bonjour aux
chevaux, plutôt ?

Kumiko, Naïma et Rajani s'arrêtèrent,
étonnées. Au moment où Naïma s'apprêtait
à lui demander ce qui lui prenait, elle
remarqua qu'Alexa se comportait vraiment
d'une drôle de manière. D'abord, elle cligna
deux fois de suite d'un œil. Puis elle tira sur
son oreille. Et enfin, elle se mit un doigt dans

le nez ! Kumiko résista à son envie de rire.
Elle avait reconnu les gestes d'un des codes
d'Alexa. Dans l'ordre : « Suivez-moi »,
« Attention, quelqu'un nous écoute »
et « Pestes en vue »[8] !

— Tu as raison ! répondit Idalina bien fort.
Et puis, il y a longtemps qu'on n'a pas
rendu visite aux chats !

— Je suis d'accord ! ajouta Kumiko.
Rajani et Naïma ne comprenaient pas
ce qui se passait mais, de toute évidence,
il se passait quelque chose !

— Comme vous voulez, dit Rajani.
Elles firent demi-tour aussitôt. Elles étaient
presque ressorties du bois quand Alexa
donna un petit coup de coude à Idalina.

— À ta gauche… souffla-t-elle. Je ne pense pas
que les sangliers se décolorent les poils…
Idalina jeta un rapide regard dans la
direction indiquée. Une touffe de cheveux

8. *Voir pp. 136-137. Voir aussi* Le Code secret d'Alexa,
dans la même collection.

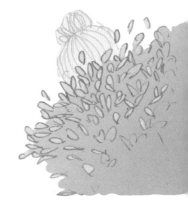

blonds émergeait d'un épais
buisson.

Le chignon de Ruby !

Dès qu'elles arrivèrent
aux écuries, les Kinra Girls
s'empressèrent d'y entrer et
de refermer la porte coulissante derrière
elles. Le cheval Nelson frappa du sabot
et se réfugia dans un coin de son box.
Sa peau frémissait.

   – N'aie pas peur, mon frère, dit Alexa
   d'une voix apaisante.

   – Ce n'est pas demain la veille qu'il laissera
   les humains s'approcher de lui, murmura
   Kumiko.

   – C'est une question de patience,
   répondit Alexa.

Et Alexa pouvait être très patiente quand
elle le voulait.

Chapitre 4
Dites : AAAA !

Naïma monta sur une caisse renversée
et se hissa jusqu'à la lucarne de la
sellerie[9]. Par l'ouverture, elle observa
un instant la bordure du bois tout proche.
Puis elle redescendit.

— Oui, vous aviez raison. Ruby se cache
derrière les arbres. Cette sale peste
nous espionne !

Alexa gratifia Idalina d'une grande claque
dans le dos.

9. *Sellerie : lieu où sont gardés les selles et les filets des chevaux.*

– Bravo, la petite ! Sans toi, Ruby nous
aurait suivies. Pas question qu'elle
découvre notre village abandonné !

– Attention, protesta Idalina. Tu fais
peur aux bébés !

Deux chatons ronronnaient sur les genoux
d'Idalina. Le troisième, **Shango**[10], était
en train de mordiller le cuir d'un filet.
Maintenant qu'ils étaient bien nourris et
à l'abri du froid, ils étaient en pleine forme.
Leur mère, **Esperanza**[11], gardait ses distances.
Elle ne se laissait toujours pas approcher,
même si elle ne semblait pas inquiète.

– Il faut qu'on se débarrasse de Ruby !
dit Kumiko. Qu'est-ce qu'elle cherche,
à votre avis ?

– Oh, ça, c'est facile à deviner ! répondit
Naïma. Ruby espère trouver quelque
chose pour nous faire renvoyer de l'école !

– C'est trop tard pour notre expédition,

10. Shango : *nom du dieu du Feu, de la Foudre et du Tonnerre au Bénin.*
11. Esperanza *(en espagnol) : espérance, espoir.*

remarqua Rajani. Rentrons déjeuner.

– M. Meyer sera bientôt de retour, rappela
Alexa. Je passerai prendre Jazz. Ruby n'est
pas stupide. Elle n'osera pas nous suivre
de nouveau si le chien est avec nous.

Elles étaient toutes d'accord. Il valait
mieux attendre l'après-midi pour visiter
l'église. Elles restèrent encore un moment
pour jouer avec les chatons, puis elles
retournèrent au château.

Ruby apparut dans le réfectoire dix minutes
après les Kinra Girls. Elle rejoignit ses
copines Michelle et Jennifer. Les Kinra Girls
firent semblant de ne pas la remarquer.

Après le déjeuner, Alexa se rendit au bureau
du directeur. Miss Daisy était absente.
M. Meyer parlait au téléphone. Dès qu'il
aperçut Alexa, Jazz se leva et vint vers elle
en remuant la queue. Alexa patienta en
caressant le labrador.

– Bonjour, Alexa, dit M. Meyer en raccrochant.

– Vous savez toujours que c'est moi !
répondit Alexa, amusée.

– Ce n'est pas difficile. Jazz ne bouge pas
de sa place quand c'est quelqu'un d'autre.
Il a mérité sa promenade aujourd'hui.
Il a bien travaillé ce matin.

– Je le laverai avant de vous le ramener,
promit Alexa.

Alexa retrouva ses amies sur le perron.
Rajani lui apprit que les pestes étaient dans
la cafétéria. La voie était libre. Naïma proposa
de faire la course jusqu'au bois. Elle était
la meilleure à la course, mais Alexa était
capable de lutter contre elle. Naïma arriva
la première.

– C'est Jazz qui a gagné ! s'exclama Alexa.

– Mais il a quatre pattes, lui ! répliqua
Naïma en riant.

Les Kinra Girls prirent le temps de se reposer

avant de s'enfoncer dans la forêt. Elles en profitèrent pour surveiller les alentours du château.

– Pas de Ruby en vue, dit Rajani. Allons-y. Je crois qu'on ne risque plus rien.

Le bois avait perdu son apparence inquiétante. La présence de Jazz y était sans doute pour beaucoup. Au détour des gros rochers qui cachaient la rivière, Kumiko s'arrêta, stupéfaite. Le torrent charriait branchages et troncs d'arbres. L'eau était montée d'un bon mètre.

– Yiiiiieuuuuuu ! siffla Naïma. Vous avez vu la force du courant ? C'est pas le moment de trébucher !

Alexa regretta de ne pas avoir pris la laisse de Jazz. Elle attrapa le chien par son collier. Jazz leva le museau vers elle.

– Reste au pied ! commanda-t-elle. Faites attention, les filles. Le sol est glissant.

Prudemment, elles longèrent la berge.
Idalina poussa un soupir de soulagement
quand, enfin, elles arrivèrent au pont. Alexa
lâcha Jazz et le caressa pour le récompenser
de son obéissance. Naïma regardait en
direction du cimetière.

– On t'a promis qu'on n'irait pas, lui dit
Idalina.

– Je sais mais je n'aime pas être aussi
près. Les fantômes, ça existe ! La preuve,
on en a un dans le château.

– Est-ce que les Aborigènes[12] croient
aux fantômes ? demanda Rajani à Alexa.

– Djalu, l'oncle de mon copain Jimmy, est
un homme-médecine, répondit Alexa.
Un genre de sorcier, si tu préfères. Il m'a
expliqué beaucoup de choses mais je n'ai
pas tout compris. Pour les Aborigènes,

12. Aborigènes : *premiers habitants d'un territoire. On pense que
les Aborigènes d'Australie sont arrivés dans ce pays il y a au moins
quarante mille ans.*

13. Dowie : *chez les Aborigènes, sorte de monde des esprits
qui entoure les vivants.*

quand on meurt, on va dans le *Dowie*[13].
Le *Dowie* est tout autour de nous. On
ne le voit pas parce que tout va plus vite
que la lumière dans le *Dowie*. Les esprits
les plus évolués vivent dans le septième
niveau du *Dowie*. Ils redescendent
parfois dans le premier niveau et
rendent visite aux hommes-médecine
pour les aider dans leur travail. C'est à
ce moment-là qu'on peut apercevoir les
esprits parce qu'ils se déplacent moins
rapidement.

– Les esprits ne sont pas des fantômes
effrayants, alors, remarqua Kumiko.

– Si tu penses à d'horribles spectres qui
agitent des chaînes en hurlant, dit Alexa
en riant, en effet ! Ce genre de fantômes
n'existe pas pour les Aborigènes !

Arrivée devant l'église, Idalina essaya d'en
ouvrir la porte. Fermée pour de bon…

Les Kinra Girls firent le tour du bâtiment.
Il n'y avait pas d'autre entrée. Rajani proposa
d'aller visiter le moulin, histoire de ne pas
être venues jusque-là pour rien.
Kumiko s'accroupit pour refaire un de
ses lacets. Elle allait se relever lorsqu'elle
s'exclama soudain :

> – Hé ! Regardez dans le coin, à gauche
> de la porte ! C'est presque effacé mais
> je suis sûre que c'est une patte de lion !

Rajani s'agenouilla pour examiner la pierre.

> – Elle ne semble pas solidement fixée…

Attendez une seconde !
Rajani saisit la pierre à deux mains et tira.

> – Ça y est ! s'écria Kumiko. Tu l'as enlevée !
> Il y a quelque chose dans le trou ?

Rajani ne répondit pas. Quand elle se
redressa, elle brandissait une grosse clé
rouillée. Idalina applaudit puis prit la clé
que lui tendait Rajani. Un peu hésitante,

elle la glissa dans la serrure. Malgré ses efforts, impossible de faire tourner la clé.

– C'est méchamment coincé. Naïma, c'est toi qui as le plus de force…

– Merci les exercices au trapèze !
dit Naïma en saisissant la clé. Ah han !
Oummff… Pas facile.

À sa troisième tentative, Naïma réussit enfin à débloquer la serrure. Elle poussa la lourde porte qui tourna sur ses gonds en grinçant. Elle ne parvint pas à l'ouvrir complètement. Elle se faufila la première par l'ouverture.

– Il fait froid ici, constata Kumiko.

Tiens donc ! Un carrelage noir et blanc !

Je parie qu'il y a soixante-quatre dalles.

Les Kinra Girls avaient découvert que les carrelages noir et blanc et le nombre soixante-quatre étaient des indices importants[14]. Elles étaient persuadées que cette piste les mènerait au trésor

14. *Voir les tomes 2 et 3 des Kinra Girls,* Le Chat fantôme *et* Les Griffes du lion.

ou, au moins, aux souterrains secrets.

– J'ai fini de compter, dit Alexa.

Soixante-quatre dalles.

L'église était presque vide. Il n'y avait qu'une croix en pierre dans le fond et une statue en plâtre près d'une longue et étroite fenêtre. Idalina s'en approcha pour l'examiner.

– Je le reconnais, déclara-t-elle, c'est saint Marc. Il a écrit un des quatre Évangiles. Vous savez, ce sont les livres qui racontent la vie de Jésus.

– Comment l'as-tu reconnu ? demanda Rajani.

– Tu vois le lion ailé à ses pieds ? Il y en a souvent un auprès de saint Marc. C'est son symbole, si tu veux.

– Un lion ! s'exclama Naïma. Avec des ailes, mais un lion quand même !

Idalina expliqua qu'elle allait au cours de catéchisme quand elle était plus jeune.

Le catéchisme, c'est une instruction
religieuse chrétienne donnée généralement
aux enfants. Idalina avait pour professeur
une bonne sœur qui racontait toujours
des histoires amusantes sur la vie des saints.

 – Puisqu'il y a déjà un lion ici, remarqua
 Alexa, je pourrais peut-être laisser Jazz
 entrer ? Il n'est pas content de rester
 à la porte !

 – Tu n'y penses pas ! protesta Naïma.
 Ce serait un manque de respect !
Alexa leva le doigt vers le plafond.

 – Tu diras ça aux pigeons qui se sont
 installés sous le toit ! Bon, d'accord !
 Désolée, mon gros, mais il faut que
 tu attendes dehors.
Elle repoussa Jazz qui avait posé une patte
à l'intérieur et le consola d'une caresse.

 – La vraie question, remarqua Rajani,
 c'est pourquoi le chat fantôme

m'a envoyé l'image de l'église.

Personne n'avait de réponse. Kumiko
commença à prendre des photos. Comme
il faisait assez sombre, le flash se déclencha
à plusieurs reprises. Et soudain, sur l'écran
de l'appareil, elle vit…

– Le lion ! s'écria-t-elle. Entre ses pattes,
il y a un chiffre gravé ! C'est un 4.

– 4 quoi ? fit Alexa. Dalles, peut-être ?
Tout le monde regarda le carrelage. Naïma
se pencha en avant et indiqua le coin d'une
dalle noire.

– Je me trompe ou elle est rayée ?
Et celle-là aussi ! Et encore une autre !
Ça ne vous rappelle pas le moulin ?

– Bien sûr ! approuva Rajani. Le
mystérieux visiteur a essayé de soulever
les dalles du moulin et il a fait pareil ici !

– Commence à m'énerver celui-là,
grommela Alexa.

– Moi, je pense qu'il n'a pas réussi
à trouver l'entrée des souterrains,
dit Idalina. Il n'a peut-être pas vu
le chiffre gravé sur la statue ?

– On n'est pas plus avancées tant
qu'on ignore ce que ça signifie,
répondit Naïma.

Kumiko passait en revue ses photos.

– Mais non ! s'exclama-t-elle.
C'est un A ! Il y a un petit morceau
cassé, c'est pour ça que j'ai cru que
c'était un 4.

– A comme Augustus ? supposa Rajani.

Augustus **Löwe**, qui avait vécu au XVIIIe siècle,
était le constructeur du château. Augustus,
dont le nom **Löwe** signifiait « lion » en

allemand. Augustus dont l'immense fortune
ne cessait d'étonner les gens de son époque.
Augustus, qui était enterré juste à côté
de l'église…

Naïma croisa les bras et prit un air boudeur.

    – Ah non ! On ne retourne pas au
    cimetière !

Le visage d'Alexa s'illumina d'un grand sourire.

    – Eh mais dites, les filles ! Je connais
    un autre A gravé dans la pierre !

    – Le carrelage de l'infirmerie ! crièrent
    Kumiko et Idalina en même temps.

Chapitre 5
Miam, slurp, miam !

L a nuit tombait tôt en cette saison.
Les Kinra Girls rentrèrent au
château sans tarder. En chemin,
elles continuèrent leur discussion.
Comment faire pour entrer dans
l'infirmerie ? Le soir, Emma l'infirmière
laissait la clé dans le bureau de Miss Daisy.
Le bureau était également fermé tous
les soirs. Alexa devait ramener Jazz à son
maître. Elle pourrait profiter de l'absence

de Miss Daisy pour prendre la clé. Mais elle
ne pourrait pas la remettre en place ensuite.
Et si elle ouvrait la fenêtre ?

— Ce n'est pas parce qu'il est aveugle
que M. Meyer ne s'apercevra de rien,
dit Rajani. Il est capable de sentir
le courant d'air froid.

— Je vais à peine soulever la fenêtre,
répondit Alexa. Ça vaut le coup d'essayer.

Alexa fit exprès de prendre beaucoup de
temps pour laver Jazz. Plus elle arriverait
tard chez M. Meyer, plus il y avait de chance
que le directeur soit pressé de quitter son
bureau. Peut-être ne remarquerait-il rien…
Et ce fut exactement ce qui se produisit.
M. Meyer sortit à peine cinq minutes
après le départ d'Alexa. Tout se déroulait
comme prévu.

La Semaine du goût commençait dès le dîner
de ce samedi. Les élèves étaient ravis à l'idée

de manger des plats du monde entier.
Mais le plus heureux de tous, c'était Luigi,
le cuisinier italien. Il s'amusait comme
un fou ! Luigi entra dans le réfectoire
en se frottant les mains.

– *Buena sera*[15] ! cria-t-il de sa voix
chantante. Je vous ai préparé un repas
japonais ! Humm ! Vous m'en direz
des nouvelles !

– J'aurais préféré des pizzas, marmonna
Kumiko. Japonais, je connais !

– En entrée : **sushis** ! annonça Luigi. Hé !
Pas d'inquiétude ! Je me doute bien que
beaucoup d'entre vous n'aiment pas le
poisson cru. *Allora*[16] ! Deux boulettes
de riz légèrement vinaigrées avec une
crevette cuite et deux autres avec de
l'omelette. Ensuite, un plat très courant
au Japon, le *râmen*. C'est une recette qui
vient de Chine, des nouilles avec des

15. Buena sera *(en italien) : bonsoir.*
16. Allora *(en italien) : alors.*

légumes, servies dans du bouillon. Je suis sûr que vous allez adorer ! Et le dessert, ce sera une surprise ! *Buon appetito*[17] !

Exceptionnellement, on servit les élèves comme dans un vrai restaurant. Luigi se promenait dans les rangées pour voir les réactions de ses « invités ». Les **sushis** furent fort appréciés. Les aides-cuisinières réapparurent avec des plateaux chargés de larges bols fumants. Kumiko aspira bruyamment ses nouilles. À la table d'à côté, Ruby se retourna, l'air scandalisé. Elle s'adressa à Luigi.

– C'est écœurant, monsieur ! s'exclama-t-elle.

---

17. Buon appetito *(en italien) : bon appétit.*

Kumiko Matsuda fait des bruits dégoûtants !

– C'est comme ça qu'on mange les nouilles au Japon, rétorqua Kumiko. De cette façon, on ne se brûle pas.

– *Si, si*[18] ! approuva Luigi. On aspire ! Slurp !

Tout le monde se mit à rire. À l'exception de Ruby, on s'empressa d'imiter Kumiko. Luigi s'approcha de Ruby et lui demanda si le plat ne lui plaisait pas.

– Mais si, c'est bon, dit Ruby, étonnée.

– Pour les Japonais, ce n'est pas poli de manger ses nouilles sans faire de bruit, expliqua Luigi. On risque de penser que tu n'aimes pas !

Luigi demanda à Kumiko de ne rien dire à ses camarades sur son dessert « surprise ». On servit aux convives une boule recouverte d'une sorte de croûte craquelée. Les élèves

18. Si *(en italien) : oui.*

découvrirent que l'intérieur était composé de mie de pain et de croûte, un genre de biscuit. Mais le goût était assez spécial...

– Ça s'appelle *melonpan*, déclara Luigi.

Et ceux-là sont à... la citrouille !

Le cuisinier rit beaucoup en voyant la tête que firent les élèves.

– Bravo pour avoir essayé ! les félicita Luigi. Allez ! Vous avez bien mérité mes *melonpan*... au chocolat !

Un « aaaaaaaah ! » de satisfaction parcourut le réfectoire. Le *melonpan* au chocolat eut nettement plus de succès que celui à la citrouille !

– Merci, chef ! Merci, chef ! disaient les élèves en quittant les lieux.

Ravi, Luigi souriait de toutes ses dents.

***

Alexa écoutait la respiration profonde de Michelle dans le lit en face du sien. Que c'était ennuyeux d'avoir une peste comme colocataire ! C'était dur de rester éveillée en attendant que Michelle s'endorme. Alexa repoussa ses draps et attrapa ses santiags. Elle se glissa en silence vers la porte, referma doucement derrière elle… et là, elle blêmit. Elle avait oublié sa pochette ! La pochette dans laquelle était rangée la carte magnétique qui ouvrait la porte !

En se traitant mentalement d'idiote, Alexa avança dans le couloir désert.

À cause de Michelle, les Kinra Girls ne pouvaient pas partir en expédition aussi tôt qu'elles l'auraient souhaité. Alors, elles avaient décidé que Naïma, Kumiko et Rajani sortiraient les premières pour aller chercher la clé de l'infirmerie.

Alexa retrouva Idalina, chambre 306. Elle la mit au courant pour la carte magnétique.

    – Tu dormiras avec nous, proposa Idalina.

    – Mais qu'est-ce que je vais raconter à Michelle ?

    – C'est plutôt le genre à faire la grasse matinée le dimanche, non ? Avec un peu de chance, elle n'a pas mis son réveil à sonner. Tu lui diras que tu avais très faim et que tu es descendue prendre ton petit déjeuner à 7 heures. Et que tu as oublié ta carte ! Allons-y. Les filles sont sans doute déjà à l'infirmerie.

Naïma avait réussi à entrer dans le bureau de Miss Daisy pour y prendre la clé. M. Meyer ne s'était pas aperçu que la fenêtre était entrouverte. Pendant que Rajani surveillait à la porte, Naïma et Kumiko déplaçaient la table dans

l'infirmerie. La dalle où était gravée
la lettre A était juste en dessous. Kumiko
s'accroupit et éclaira la dalle pour
l'examiner attentivement.

– Je vais essayer de la soulever,
dit-elle. Il me faudrait quelque chose
pour faire levier...

Naïma regarda autour d'elle.

– Un coupe-papier, ça marcherait ?
Il y en a un sur la table.

Kumiko acquiesça. Naïma lui tendit le
coupe-papier. Kumiko glissa la pointe dans
la rainure entre deux dalles et appuya sur
le manche de toutes ses forces. À sa grande
surprise, la dalle avec le A se décolla d'un
coup et lui sauta presque sur les genoux.

– Ouf... souffla-t-elle. Heureusement
qu'elle ne s'est pas cassée en retombant.

– Alors, qu'est-ce que tu as trouvé ?
demanda Naïma.

Kumiko lui montra ce qu'elle avait ramassé
dans la cavité laissée par la dalle. Un cercle
de fer avec une croix à l'intérieur, plutôt
petit mais assez épais et lourd. L'objet
ressemblait à une espèce de roue.

Naïma écarquilla les yeux.

    – C'est quoi, ça ?

    – Aucune idée. En tout cas, il n'y a
    rien d'autre. Dépêchons-nous de tout
       remettre en place.

Quand Idalina et Alexa arrivèrent, leurs amies étaient déjà de retour dans le hall. Alexa n'était pas très contente. Elle avait pris des risques pour rien ! Son mouvement d'humeur fut de courte durée. La roue de fer l'intriguait. Kumiko et Naïma devaient encore rapporter la clé au bureau. Alexa proposa de rester dans le hall. La nuit, le système de sécurité de la porte du château empêchait quiconque d'entrer.

– **Bora**[19] chez nous, murmura Rajani. En compagnie d'Idalina, elle remonta les escaliers. Alexa n'attendit pas longtemps. Kumiko et Naïma réapparurent sur le perron au bout de quelques minutes. Alexa leur ouvrit la porte.

– Naïma devient une vraie professionnelle de l'escalade de fenêtre, plaisanta Kumiko. Alexa pressa le mouvement. Il n'était jamais

---

19. Bora : *cérémonie sacrée chez les Aborigènes.*
C'est ainsi que les Kinra Girls nomment leurs réunions secrètes.
Voir pp. 136-137.

prudent de s'attarder. Les trois filles regagnèrent la chambre 325. Elles trouvèrent Rajani et Idalina dans un étonnant état d'excitation.

— Je sais à quoi sert l'objet ! déclara Idalina. Enfin, si on veut... Dans l'église, j'ai remarqué qu'il y avait une croix dans un rond au milieu du socle de la statue. Mais ce qu'il y a de bizarre, c'est que c'est gravé en creux dans la pierre. Je suis presque sûre qu'il faut placer la roue de fer dedans.

— Et après ? demanda Kumiko.

— Ben, ça, je ne sais pas, répondit Idalina. On verra bien ce qui se passe.

— Demain ! dit Rajani en bâillant. Maintenant, dodo !

Alexa grogna. Dodo sur la moquette, en ce qui la concernait !

Chapitre 6
La clé d'or

Alexa s'était à moitié endormie dans son bol de chocolat. Naïma la secoua par l'épaule. Michelle venait d'entrer dans le réfectoire. Alexa se leva, marcha vers la sortie, fit mine de chercher dans ses poches et s'écria bien fort :

– Oh non ! J'ai oublié ma carte magnétique !

Puis elle avisa Michelle et lui adressa un grand sourire.

– Ah, heureusement que tu es là !
Tu peux me prêter ta carte ?
Je te la rapporte tout de suite !

– Tu devrais faire plus
attention à tes affaires,
répondit Michelle.

– Tu as raison, admit Alexa.
J'avais tellement faim en me
réveillant ce matin que je me suis
précipitée... Et puis je n'ai pas allumé
la lumière pour ne pas te déranger.
Je n'ai pas fait trop de bruit, j'espère ?

– Non, bougonna Michelle. Rien entendu...

Alexa prit la carte que lui tendait Michelle.
Une fois dans le hall, elle se tourna vers Naïma.

– J'en ai pas fait un peu trop ?

– Limite, répondit Naïma, mais je ne
crois pas que Michelle se doute de
quoi que ce soit. On emmène Jazz
en promenade ?

– M. Meyer ne voudra pas, c'est trop tôt.
Cet après-midi, oui.

– Tu te souviens qu'on s'est inscrites
au cours de cuisine ? demanda Naïma.
Il y en a un à 16 heures aujourd'hui !

– Oh, zut... c'est vrai.

Dans l'escalier, elles croisèrent Ruby et
Jennifer qui descendaient. Elles allaient
prendre leur petit déjeuner. Alexa pressa le
mouvement. Il fallait profiter de l'occasion
pour filer. Pas question que cette peste de
Ruby les suive de nouveau !

Alexa se changea rapidement, enfila santiags
et manteau et, cette fois, n'oublia pas
sa pochette. Elle repassa par le réfectoire
pour rendre la carte à Michelle et rejoignit
ses amies sur le perron du château.

Le beau temps était au rendez-vous.

La rivière ne charriait plus de troncs d'arbres
maintenant qu'il ne pleuvait plus. L'eau,

cependant, restait haute et tumultueuse.
Les Kinra Girls étaient plutôt excitées
lorsqu'elles entrèrent dans l'église. Rajani
referma la lourde porte derrière elle. Dans
la demi-pénombre, le lion de saint Marc
brillait singulièrement. Un rayon de soleil
tombait juste dessus. Il n'éclairait rien
d'autre, ce qui donnait au lieu une drôle
d'ambiance, presque inquiétante. Soudain
silencieuses, les Kinra Girls s'approchèrent
lentement de la statue. Idalina ne s'était pas
trompée : il y avait une croix dans un cercle
au milieu du socle.

— Vous voyez, dit-elle, c'est gravé en creux.

Kumiko, c'est toi qui as la roue de fer.
Kumiko sortit l'objet de sa poche et, d'une
main hésitante, le rentra dans le cercle
de la statue. Puis elle le lâcha. La roue de fer
resta en place.

— Je pensais qu'il allait se passer quelque

chose, commenta Naïma, déçue.

Rajani retira la roue et se pencha pour examiner le cercle de plus près.

– Kumiko ne l'a peut-être pas suffisamment enfoncée, remarqua-t-elle. Et puis, il faut bien superposer les deux croix l'une sur l'autre. Voilà, comme ça... Oh ! Je sens que ça bouge un peu. Je crois qu'il faut tourner la roue !

En tenant fermement la croix de fer, Rajani donna un coup sec vers la droite. La statue glissa toute seule sur le côté ! Sous leurs yeux écarquillés, un passage s'ouvrait dans le sol.

– J'aperçois des marches, dit Kumiko. Il fait noir, là-dedans. Dommage qu'on n'ait pas nos lampes torches.

– Ah mais si ! s'exclama Alexa. J'en ai une dans ma pochette !

Alexa prit la petite lampe et l'alluma.

Les filles se regardèrent.

– Kinra Girls *forever* ! lança Naïma.

On y va ?

Alexa posa le pied sur la première marche et, prudemment, commença à descendre. Sa voix résonna quand elle appela ses amies.

– C'est bon, je suis en bas. Je vous éclaire d'ici.

Une par une, les Kinra Girls empruntèrent l'étroit escalier et se retrouvèrent dans une espèce de salle souterraine.

– Une porte ! s'écria Idalina. Là-bas !

Et quelle porte ! Elle était en bois et semblait très lourde, protégée par de solides croisillons de fer forgé. Le haut était arrondi. Une porte digne d'un château fort.

– Ni poignée ni serrure, apparemment, constata Kumiko. Alexa, si tu t'éloignes, on ne voit plus rien, nous !

– Venez par ici ! répondit Alexa.

Il y a autre chose ! Un coffre !

Et si c'était le trésor ?

Les cinq filles se rassemblèrent autour du coffre. Rajani s'agenouilla devant et souleva lentement le couvercle. Dans le rai de lumière, elles découvrirent... des os.

    – Referme ! supplia Naïma. C'est trop horrible !

    – Une seconde, pria Alexa en s'accroupissant. Hum... Regardez la forme du crâne. C'est le squelette d'un petit animal. C'est le chat fantôme !

    – Mais la légende raconte qu'il est resté enfermé dans le château après la mort de son maître, s'étonna Kumiko.

    – Ben, comme tu viens de le dire, c'est une légende ! répondit Alexa.

Idalina, qui était au bord des larmes, se mit soudain à brailler :

    – Le pauvre chaaaaaaaaaaaaaaaat !

    – Enfin, Idalina, tu devais bien te douter

qu'il était mort puisque c'est un fantôme !
remarqua Rajani.

– C'est pas pareil ! Il est làààààààààààààà !

– Tu as toutes les raisons de te réjouir,
au contraire, dit Alexa. Jusqu'à présent,
on croyait qu'il était mort de faim et de
soif dans le château. Et c'est vraiment
affreux. Approche-toi un peu. Ça, ce sont
des fleurs séchées. Et ça, ce sont des
lambeaux de tissu. Je pense que le chat
a été enveloppé dans un linge et qu'on a
déposé un bouquet de fleurs dessus. C'est
la preuve que ce chat était très aimé et...
Alexa s'interrompit brusquement. Le rayon
de la lampe venait d'accrocher un objet
brillant, caché sous un morceau de tissu.

– La clé d'or... murmura Kumiko.
 Rajani retint sa respiration et plongea
la main dans le coffre. Elle la retira aussi
vite que possible.

– Elle est toute petite… souffla Rajani, impressionnée malgré elle.

Naïma s'empressa de refermer le couvercle du coffre. Elle ne supportait pas de voir les restes du chat. Idalina essuya ses joues et renifla. Ce qu'avait dit Alexa l'avait consolée. Elle voulait croire que le chat était mort de vieillesse, tranquillement, dans son sommeil.

– Petite clé, dit Kumiko, petit trou de serrure ! On a dû le rater quand on a examiné la porte.

Les Kinra Girls firent demi-tour vers la grosse porte. Kumiko avait raison : il y avait un minuscule trou dissimulé dans l'un des croisillons de fer forgé. Un peu tremblante, Rajani introduisit la clé dans la serrure.

À sa grande surprise, ce simple geste suffit. Un déclic se fit entendre. Dans un grincement sinistre, la porte tourna sur ses gonds, révélant un escalier.

– C'est comme pour le passage secret de la bibliothèque, constata Naïma, ça marche tout seul... Oh ! C'est très profond, je n'aperçois même pas le bout de l'escalier. Qu'est-ce qu'on décide ?

– On n'y voit pas assez avec une lampe, répondit Rajani. Ça ne me paraît pas prudent.

– À cinq, c'est sûr ! rétorqua Kumiko. Et s'il n'y a qu'Alexa qui descend ?

– Hé ! Pourquoi moi ? protesta Alexa.

– Je croyais que tu n'avais peur de rien.

– On va rester dans le noir, nous ! s'inquiéta Idalina.

– Pas question de faire n'importe quoi, décida Rajani. On reviendra plus tard.

Naïma tira la clé hors de sa serrure.
Et la porte glissa, dans son grincement
sinistre, jusqu'à se refermer. Clac.
L'ouverture sous la statue de l'église
se referma avec la même facilité dès
que la roue de fer fut enlevée du socle.

    – C'est fou que ces mécanismes
    fonctionnent encore aussi bien,
    s'émerveilla Kumiko.

Alexa se mit soudain à rire.

    – Quand je pense que le mystérieux
    visiteur s'est fatigué à essayer d'enlever
    toutes les dalles et que nous, hop ! on a
    trouvé le passage ET la clé d'or en moins
    de temps qu'il ne faut pour le dire !
    – Oui mais nous, on a le chat fantôme
    pour ami, déclara Idalina, les yeux
    humides.

Chapitre 7

Alexa Clark,
Miss catastrophe

L e chef Luigi attendait ses élèves avec impatience. Il était si heureux de partager sa passion avec des jeunes ! Naïma et Alexa se présentèrent en même temps que Johannis et quelques grands garçons et filles des classes supérieures.

— Tu t'es inscrit, toi aussi ? demanda Naïma à Johannis.

– La cuisine, c'est une science. Et moi,
ça m'intéresse !

– Tu as raison, approuva Luigi. C'est
la science des mélanges. Et il y a de bons
et de mauvais mélanges ! Ce soir, le dîner
sera espagnol. Vous allez nous aider
à préparer la paella. Il y a plusieurs
sortes de paella, j'ai choisi celle aux
fruits de mer.

Luigi expliqua que le nom « paella » désignait
la poêle avec deux anses dans laquelle on
cuisait les différents ingrédients. Naïma
resta stupéfaite devant la taille des poêles.
Elles étaient gigantesques !

– C'est que vous êtes nombreux ! rit Luigi.
Pour chaque repas, il y a deux services à
la suite, et ça, tous les jours de la semaine !

Luigi montra le plan de travail et énuméra
tout ce qu'il y avait dessus. Du riz rond, des
crevettes, des moules, des calamars, des

boîtes de tomates pelées, des oignons, de l'ail, des poivrons, de l'huile d'olive et du saucisson piquant espagnol appelé chorizo.

Pour donner au riz sa belle couleur jaune, on ajoutait aussi une épice, du safran.

Sous la direction de la cuisinière en second, les élèves les plus âgés se mirent au travail.

Luigi prit à part Naïma, Alexa et Johannis.

– Nous, nous allons préparer le dessert, dit-il avec un air gourmand. Venez par ici. Alors : farine, eau, sucre en poudre et un peu de sel. Nous allons faire la pâte pour les *churros*. Les *churros* sont des pâtisseries que l'on vend souvent dans les foires.

Luigi mit l'eau à bouillir avec le sel.

En attendant qu'elle soit prête, les enfants se lavèrent soigneusement les mains puis enfilèrent un tablier, un bonnet pour les cheveux, des gants en latex ultrafins et même un masque pour le nez et la bouche !

– Quand on travaille dans une cuisine
comme celle-ci, il y a des règles d'hygiène
très strictes à respecter, expliqua Luigi.

– J'ai l'impression d'être un chirurgien !
plaisanta Johannis.

Luigi les aida à soulever les gros sacs de
farine et à remplir les énormes saladiers.
Il conseilla aux enfants de s'écarter
quand il versa l'eau bouillante dessus.
Luigi brancha le mixeur pour mélanger
mécaniquement la farine et l'eau. Mais
pour ses « apprentis », il avait prévu
trois petits saladiers.

– Et maintenant, à vos cuillères en bois !
Allez, du nerf !

– Doucement, Alexa ! lança Naïma.

Tu envoies la farine dans tous les sens !
Mais en mettre partout faisait partie du
plaisir pour Alexa. Pendant ce temps-là,

Luigi s'occupait de la friteuse. L'huile devait être très chaude pour saisir la pâte et la faire dorer en deux minutes tout au plus.

– C'est quoi, ce drôle d'appareil ? demanda Johannis.

– C'est là-dedans que l'on met la pâte, répondit Luigi. On tourne la manivelle et on obtient un gros « spaghetti » qui va tomber directement dans la friteuse ! Nous n'allons cuire que les vôtres. Il est trop tôt pour ceux du repas de ce soir. Les *churros* sont meilleurs quand ils viennent d'être faits.

– On aura le droit de les manger tout de suite ? espéra Naïma.

– Hé ! fit Luigi. C'est la récompense des travailleurs ! Vous partagerez avec les autres élèves, bien sûr. Voyons... Hum, oui ! Votre pâte me paraît parfaite.

Luigi remplit la machine avec le contenu des

trois saladiers. Puis il tourna la manivelle.
Et plouf ! Le « spaghetti » grésilla dans l'huile.
Le chef le sortit avec sa pince en bois et
le déposa sur du papier absorbant. Il pria
Johannis de le saupoudrer de sucre. Luigi
avait déjà frit une demi-douzaine de *churros*
quand sa cuisinière en second l'appela. Elle
avait besoin d'un coup de main. Johannis et
Naïma suivirent le chef pour voir comment
on préparait la paella.
Et Alexa resta seule devant la friteuse.
Elle enleva ses gants, pensive. Luigi serait
sûrement content si elle finissait le travail à
sa place. Le chef avait tant de choses à faire !
Et puis, ça avait l'air si facile...
Un coup de manivelle et hop ! Le boudin
de pâte tomba dans la friteuse. C'était très
rigolo ! Elle hésita au moment de repêcher
son *churro*. L'huile bouillonnait et c'était
un peu inquiétant. Par crainte de se brûler,

Alexa eut la bonne idée de se protéger
la main avec un torchon. Mais elle laissa
pendre un bout du torchon d'un côté…
lequel bout effleura la flamme du gaz…
et s'enflamma d'un coup !

    – Au secours ! hurla Alexa.

Elle secoua frénétiquement son bras et le
torchon s'envola pour atterrir dans le coin
où étaient accrochés les tabliers… qui prirent

feu également. Alexa ne pouvait plus bouger, clouée au sol par la peur. Elle ne remarqua même pas qu'on la tirait brusquement en arrière.

Luigi n'était pas homme à paniquer. Après avoir éloigné Alexa loin des flammes, il s'était tranquillement emparé de l'extincteur et, quelques secondes plus tard, le feu était éteint.

– Alexa ! Alexa ! Ça va ? Ça va ?
Affolée, Naïma secouait son amie par les épaules. Alexa regarda la marque rouge sur son poignet.

– Mmm, m'suis brûlée ! brailla-t-elle.
La cuisinière en second ouvrit le robinet de l'évier et conseilla à Alexa de mettre son poignet dessous. L'eau froide soulagea Alexa.

– Je suis désolée, chef ! s'excusa-t-elle, la voix tremblante. Je voulais juste vous aider !
– Les accidents, ça arrive, répondit Luigi.

Maintenant tu comprends pourquoi je ne vous ai pas laissés vous servir de la machine. Il faut te faire soigner. Emma est absente le dimanche, tu dois aller voir Miss Daisy. Naïma, tu veux bien l'accompagner ?

Encore sous le choc, Naïma se contenta de hocher la tête. Luigi remplit une poche en plastique avec des glaçons et conseilla à Alexa de l'appliquer sur sa brûlure. Celle-ci le remercia en reniflant. Elle ne voulait pas pleurer. Pas elle ! Et surtout pas devant Johannis...

Miss Daisy ne disputa pas Alexa. Elle prit la boîte de premiers secours qu'elle conservait dans son bureau et appliqua un pansement gras sur la brûlure. Miss Daisy n'était pas infirmière comme Emma, mais elle avait un diplôme de secouriste.

– Tu as de la chance, dit-elle, ce n'est pas

grave. Demain matin, tu passeras
à l'infirmerie.

À ce moment-là, M. Meyer entra avec Jazz,
de retour d'une réunion avec les professeurs.

– J'ai bien entendu le mot « infirmerie » ?
demanda-t-il.

– Il y a eu un petit problème… répondit
Miss Daisy.

– Ah ! Bonjour, Alexa.

– C'est pas possible que vous ayez encore
deviné que j'étais là ! s'étonna Alexa.

– Je sais ce que Miss Daisy veut dire quand
elle parle d'un petit problème, répondit
M. Meyer. Qu'as-tu fait, cette fois ?

– Ben… J'ai un peu mis le feu à la cuisine…

Il en fallait beaucoup pour fâcher M. Meyer.
Il soupira légèrement en écoutant Naïma lui
raconter toute l'histoire.

– Bon, tu es dispensée de cours de
cuisine, Miss catastrophe. Ça vaut

mieux pour tout le monde ! Allez, filez, vous deux !

– Il est vraiment très bien, votre chef, dit Alexa sur le pas de la porte. Faut le garder !

Miss Daisy tourna la tête pour cacher son début de fou rire.

Chapitre 8

Le triomphe de Ruby

Les Kinra Girls ne parlaient que du passage secret de l'église après les cours. Il leur tardait d'être enfin au samedi suivant pour reprendre leur exploration.

Le vendredi matin, Mme Beckett sortit de son sac à dos les copies qu'elle avait ramassées le lundi précédent.

– J'ai lu avec attention les différentes propositions de découpage de l'histoire

d'Aladin que vous m'avez remises.
Certains travaux m'ont un peu déçue,
je l'avoue... J'ai l'impression que vous
n'avez pas tous bien compris ce que je
vous demandais. Je vous rappelle que
notre spectacle est une pantomime, pas
une pièce de théâtre classique. Il fallait
raconter l'histoire sous la forme de
six tableaux au maximum.

Une sueur froide coula dans le dos de Rajani.
Elle se revoyait dans sa chambre en train
de travailler avec ses amies. Enfin, en train
de travailler... pas vraiment !

– J'ai retenu la meilleure proposition,
continuait Mme Beckett. C'est celle
du groupe composé d'Andréas, John,
Michelle, Ruby et Jennifer. Toutes mes
félicitations. C'est excellent. Votre
découpage est parfait, il n'y a rien
à changer !

Chapitre 8

Naïma avala sa salive avec difficulté.
La pantomime, c'était son idée ! On lui
aurait volé Mme Chaussette, son doudou,
qu'elle ne l'aurait pas aussi mal pris. Idalina
regarda Ruby. Celle-ci affichait un sourire
triomphant. Ruby leva la main et eut le
culot de dire :

— Merci, Mme Beckett. Puisque j'ai… que
nous avons gagné, est-ce que je pourrais
décider de la distribution des rôles ?
— C'est moi, le metteur en scène,
répondit Mme Beckett. Et nous
déciderons ensemble de qui fait
quoi ! Maintenant, ouvrez vos livres
à la page 64. Qui veut lire la poésie
de Walt Whitman[20] ?

D'habitude, Rajani était la première à se
porter volontaire. Elle adorait lire la poésie.
Mais là, elle était tellement contrariée
par ce qui venait de se passer qu'elle resta
sans réagir. À sa table, Kumiko gardait la
tête obstinément baissée. Elle se sentait
responsable de leur échec.

Le cours d'anglais était le dernier de la
matinée. Les Kinra Girls quittèrent la salle,
la mine sombre. Dans le couloir, la voix de
Ruby résonnait fort. Elle savourait sa victoire

---

20. *Walt Whitman (1819-1892) : célèbre poète américain.*

et en faisait profiter toute l'école !

– Vous avez entendu ce qu'a dit
Mme Beckett ? se vantait-elle.
Excellent, parfait !

Quand elle aperçut ses ennemies jurées,
elle haussa encore le ton.

– Mme Beckett a même dit qu'il n'y avait
rien à changer ! Et pourtant, elle n'est
pas du genre à faire des compliments
d'ordinaire !

Naïma serra les poings. Elle devait absolument
contrôler sa colère. Elle n'allait pas, en plus,
se ridiculiser en répondant à Ruby !
Arrivées dans le réfectoire, les Kinra Girls
s'effondrèrent sur leurs chaises. Idalina avait
envie de pleurer. Elle aurait accepté sans
problème qu'un autre groupe gagne. Mais
celui de Ruby ! C'était horriblement vexant.
Luigi vint faire son petit tour pour
présenter le menu.

– *Buon giorno a tutti*[21] ! lança-t-il gaiement. Aujourd'hui, déjeuner américain ! En ce moment, aux États-Unis, comme chaque année le dernier jeudi de novembre, c'est Thanksgiving. C'est un jour où l'on se réunit en famille. On remercie Dieu pour les bonheurs de l'année. Traditionnellement, on mange de la dinde farcie avec de la purée de patates douces et de la confiture de canneberge. Bon appétit !

Les dames de service passèrent avec leurs plateaux. Alexa pensa qu'il fallait absolument distraire ses amies. Elle huma les arômes qui montaient de son assiette.

– Ça sent bon ! Vous connaissez la canneberge ? C'est une baie de couleur rouge. Ça a un petit goût acidulé. Les patates douces, c'est délicieux !

---

21. Buon giorno a tutti *(en italien) : bonjour tout le monde.*

Idalina comprit qu'Alexa cherchait à leur remonter le moral et joua son jeu.

– C'est drôle de manger de la confiture avec de la viande ! Mais, Alexa, tu n'es plus végétarienne ?

La fourchette en l'air, Alexa fit la grimace.

– Ben, on peut faire des exceptions... C'est juste par curiosité !

D'habitude, la nourriture suffisait à mettre Naïma de bonne humeur. Mais elle avait l'estomac noué. Kumiko jeta un bref coup d'œil en direction de Rajani. Vu la tête

que faisait celle-ci, l'orage n'allait pas tarder
à éclater. Kumiko décida d'aborder le sujet
la première. Parfois, il vaut mieux laisser
sortir les choses plutôt que les ruminer
à l'intérieur.

— Désolée, c'est ma faute, s'excusa
Kumiko.

— Quoi donc ? demanda Idalina.

— Je voulais qu'on s'amuse au lieu
de travailler !

— Il me semble que nous sommes cinq,
répondit Naïma. C'est tout autant notre
faute que la tienne.

Rajani cogna son couteau contre la table
en le reposant d'un geste brusque.

— Et c'est la dernière fois que ça arrive !
dit-elle. Nous voilà bien punies et nous
n'avons à nous en prendre qu'à nous-mêmes.
Alors, à partir de maintenant, je ferai
mes devoirs au lieu de rêvasser à je ne

sais quel trésor qui n'existe pas.
Rajani saisit son couteau et s'attaqua
rageusement à sa tranche de dinde. Elle
ne supportait pas l'idée que la proposition
de Ruby ait été préférée à la leur. C'était
d'autant plus cruel qu'elle devait admettre
que Ruby, elle, avait fait son travail. Rajani
était furieuse. Sa fierté en avait pris un coup.
Kumiko, Idalina et Naïma n'osaient plus
prononcer un mot. Alexa haussa les épaules.

– Change ce que tu peux changer, accepte
ce que tu ne peux pas changer, dit-elle.

Pas la peine de se rendre malades !
Rajani la fusilla du regard. Ce n'était
vraiment pas ce qu'elle avait envie
d'entendre à ce moment-là ! Rajani se leva
et quitta le réfectoire.

– Tu n'as toujours pas appris à te taire,
remarqua Kumiko sur un ton
de reproche.

– Oh ! là, là ! s'exclama Alexa. Il n'y a pas de quoi en faire un drame. Ce n'est pas la fin du monde quand même !

– C'était notre projet, rétorqua Naïma. Rajani a raison : nous nous sommes conduites comme des idiotes.

– Est-ce qu'on ne devrait pas suivre Rajani ? demanda Idalina, inquiète.

Naïma aperçut les plateaux avec le dessert, de la glace à la vanille avec des cookies aux pépites de chocolat.

– Heu… il y a les biscuits que nous avons faits au cours de cuisine hier. Je voudrais bien y goûter…

– Ah oui, dit Idalina. Ils ont l'air très bons.

– Vaut mieux laisser Rajani se calmer toute seule, déclara Kumiko après réflexion.

Alexa sourit. Rien de tel qu'un beau cookie au chocolat pour vous consoler.

Où règnent les ombres...

C e vendredi-là était vraiment un jour maudit pour Rajani. Elle devait encore supporter la présence de Ruby pendant le cours de danse. Pour tout arranger, Mme Jensen, leur professeur, était de mauvaise humeur. Comme un fait exprès, Ruby réussissait parfaitement les exercices, même les enchaînements les plus difficiles. Et évidemment, elle fut la seule à ne pas être critiquée ou corrigée.

Kumiko était déjà revenue quand Rajani entra dans leur chambre. La Japonaise comprit aussitôt que ce n'était pas la peine d'essayer de parler à son amie. Rajani s'assit à sa table, sortit son classeur et ses livres et se mit à travailler. Craignant de dire ce qu'il ne fallait pas, Kumiko préféra rejoindre les autres. Un peu démoralisée, Kumiko frappa à la porte de la chambre 306.

Naïma lui ouvrit.

– Alors ? demanda-t-elle.

– Elle est muette, soupira Kumiko. Elle fait sa tête de « laissez-moi tranquille ou j'explose ». Et vous trouvez que c'est moi qui ai un caractère de cochon ?

– Rajani est en colère contre elle-même, répondit Idalina. Elle se punit.

– Ouais mais, du coup, elle nous punit aussi ! remarqua Alexa. Moi, je n'ai pas du tout envie de rester là à ruminer

des idées noires. Et puis, c'est l'heure
de la promenade de Jazz.

Alexa ramassa sa sacoche sur le lit de
Naïma et enfila sa veste. Kumiko la regarda,
les sourcils froncés.

– Dis donc… T'as quoi dans ton sac ?

Alexa eut un petit sourire un peu embarrassé.

– Ben… Mon carnet et mon stylo, un gros
feutre rouge et… hum. Deux lampes
de poche !

– Tu avais l'intention d'explorer les
souterrains sans nous ! s'exclama
Kumiko.

– Pas sans vous ! répliqua Alexa.

– Pourquoi un feutre rouge ? s'étonna
Idalina.

– Pour faire des marques sur les murs
au cas où il y aurait plusieurs passages.
Je ne tiens pas à me perdre !

Kumiko ne pouvait s'empêcher d'admirer

Alexa. Elle pensait toujours à tout !

– On ne peut pas y aller sans Rajani,
dit Idalina. Peut-être que demain…

– N'espère pas qu'elle change d'avis
comme ça, l'interrompit Kumiko. Rajani
prend ses études très au sérieux.

– Mais il ne s'agit pas de ses études !
s'écria Alexa en écartant les bras.
Ce n'est qu'un spectacle de fin d'année !
Et puis, flûte ! Si vous ne voulez pas venir,
tant pis ! Moi, j'y vais !

Alexa sortit et claqua la porte.

– Ah bah, bravo, commenta Naïma.
Maintenant, elles sont deux à être fâchées !

Idalina prit ses bottines au pied de son lit.
Il fallait rattraper Alexa avant qu'elle ne fasse
une sottise.

– Oui, c'est ça ! fit soudain Naïma.
Prévenons Rajani qu'Alexa est partie
toute seule et qu'on est très inquiètes.

Elle ne va pas rester sans rien faire.

– Pas bête, approuva Kumiko. Je dois aller chercher mon blouson, de toute façon. Je sais comment m'y prendre avec Rajani. Naïma, enlève les piles de ta lampe torche et donne-la-moi. Attendez-moi dans le couloir.

Kumiko regagna sa chambre. Elle prit son manteau dans le placard. Puis elle se mit à fouiller bruyamment son bureau. Rajani ne réagit pas.

– Ah, c'est pas vrai ! râla Kumiko. Je n'en ai plus ! Désolée de te déranger. Est-ce que tu aurais trois piles rondes par hasard ?

– Pour quoi faire ? demanda Rajani.

– Pour la lampe de Naïma. Il lui faut des piles neuves. Et c'est urgent.

– Urgent ? répéta Rajani, intriguée. Je ne comprends pas.

– Alexa est partie explorer le souterrain, expliqua Kumiko en poussant un soupir.

– Elle est folle ! Et vous ne l'avez pas arrêtée ?

– Tu la connais ! Elle est plus têtue qu'une vieille mule ! On a absolument besoin d'une lampe en bon état de marche. Il fait sûrement déjà noir dans les bois à cette heure-ci.

Rajani ouvrit son tiroir pour y chercher des piles. Elle ricana soudain.

– Et comment Alexa va faire... sans la clé ?

Elle exhiba la clé d'or. Finalement, Alexa ne pensait peut-être pas toujours à tout...

– Elle est quand même seule dans le bois,
rétorqua Kumiko. Donne-moi la clé.
Et la roue de fer. Et le plan en forme de
lion. Il pourrait nous être utile.

– Ah, parce que tu as l'intention de visiter
les souterrains, toi aussi ?

– Nous, corrigea Kumiko. Naïma et
Idalina sont d'accord.

– Prends ce que tu veux, ça m'est égal,
dit Rajani en haussant les épaules.
Kumiko ne répondit pas. C'était raté,
pas la peine d'insister.

***

Jazz aboya en apercevant les trois filles qui
franchissaient le pont. Alexa était assise sous
le porche de l'église. Elle était bien contente de
les voir, mais elle n'était pas prête à l'admettre.

– Tu as oublié le principal, lui dit Kumiko.
Puisqu'on est là... et qu'on a la clé...

Alexa se redressa d'un bond, les yeux brillants.

    – Alors, on y va ? espéra-t-elle. Chouette !

Jazz, tu montes la garde.

Le labrador gémit quand ses amies entrèrent dans l'église, puis il se coucha sur le sol.

Il faisait sombre dans le bâtiment. Kumiko ouvrit le passage sous la statue. Elles descendirent. Idalina évita de regarder en direction du coffre. Le pauvre chat... Kumiko introduisit la clé d'or dans le minuscule trou de la barre en fer forgé. Elle frissonna en entendant le grincement quand la porte tourna sur ses gonds.

Alexa décida de passer devant. L'escalier était étroit et raide. Kumiko, qui n'avait pas de lampe, se retint au mur après avoir failli déraper sur une marche. Idalina et Naïma l'éclairaient tant bien que mal en la suivant de près. La voix d'Alexa résonna. Elle semblait venir de très loin.

– Le souterrain part de deux côtés,
annonça-t-elle. Si je ne me trompe pas,
par là, c'est le moulin et par là…
le cimetière.

Kumiko arriva à sa hauteur à ce moment-
là. Elle sortit le tube qui contenait le plan
en forme de lion. Avec l'aide d'Alexa, elle
déroula la feuille de papier.

– Le cercle avec le point au milieu,
dit-elle, je suis sûre qu'il représente
l'église. Le cercle au-dessus, c'est
forcément le moulin.
Il y a trois points
entre les deux.

– Je vous préviens
tout de suite que je
n'irai pas en direction
du cimetière, déclara Naïma.

Idalina s'avança de quelques pas dans
le souterrain.

– J'ai l'impression qu'il y a une porte
au bout.

Alexa dirigea le faisceau de sa lampe de
l'autre côté.

– Il y en a une, là aussi ! s'écria-t-elle.
Kumiko, la clé !

– N'ouvre pas celle-là ! hurla Naïma.

– D'accord, d'accord ! dit Kumiko.

On suit Idalina, ça te va ?

Naïma respira un bon coup et fit oui
de la tête.

Le tunnel était creusé dans une roche très
dure. Il était assez large et pas très haut.
Idalina s'arrêta. La porte était tellement
bardée de fer qu'il était difficile de savoir si
elle était en bois ou dans un autre matériau.
Idalina indiqua du doigt un petit trou
dissimulé dans l'une des barres. D'une main
un peu tremblante, Kumiko y glissa la clé d'or.
Alexa écarquilla les yeux. Elle ne savait

pas trop ce qu'elle espérait, mais elle fut
très déçue. Il n'y avait qu'une salle vide,
vaguement carrée, de taille modeste.
On avait creusé des niches rectangulaires
dans la paroi.

– Ça me rappelle les catacombes,
dit Idalina. Il y en a dans la ville de
Grenade, chez moi, en Andalousie.
Idalina expliqua que les chrétiens se
cachaient dans des grottes, les catacombes,
à l'époque où il y avait des Romains.
Les Romains persécutaient les chrétiens
pour les empêcher de pratiquer leur
religion.

– Vous croyez que c'est pour se cacher
qu'on a construit ces souterrains ?
demanda Naïma.

– C'est bien possible, acquiesça Kumiko.
À quoi ça pouvait servir, ces trous ?

– Peut-être à poser des objets, supposa
Idalina. Ou pour dormir ! Ils sont assez
grands pour qu'on s'y couche.

– Les points sur le plan du lion
représentent des salles, dit Alexa.
Il y a une autre porte. Eh ! J'aperçois

quelque chose au-dessus ! C'est...

oh... zut... du latin !

Idalina essaya de déchiffrer l'inscription gravée dans la roche.

– *Per... inana,* non, *inania... regna !*

Alexa sortit son carnet et son stylo pour noter. Kumiko remarqua que la salle multimédia était sans doute encore ouverte. Si elles se dépêchaient de rentrer, elles pourraient utiliser un ordinateur pour traduire la phrase. Comme elles étaient toutes d'accord, elles repartirent en sens inverse. Elles refermèrent les portes derrière elles, puis le passage sous la statue. Elles eurent une énorme surprise en sortant de l'église. Rajani les attendait en compagnie de Jazz !

– Ce n'est pas trop tôt ! râla-t-elle. Encore cinq minutes et j'allais chercher de l'aide !

– Tu as traversé la forêt toute seule ?

s'étonna Idalina. Sans lampe et sans chien ?

– Oui et j'ai eu la trouille de ma vie, merci ! Bon, alors... Vous avez vu quoi ?

Alexa sourit. Rajani était de retour !

En chemin, Kumiko lui fit le récit de leur expédition. Rajani regrettait de ne pas avoir partagé ce moment avec ses amies, même si elle ne l'avouait pas.

La salle multimédia restait accessible assez tard le vendredi pour permettre aux élèves des classes supérieures de faire leurs recherches. Deux garçons y travaillaient encore quand les Kinra Girls arrivèrent. Rajani s'assit devant un ordinateur et tapa la phrase notée par Alexa.

– « *Per inania regna* », lut-elle à mi-voix. Citation du poète latin Virgile, 1er siècle avant Jésus-Christ... « *Dans le royaume des ombres.* »

– Les ombres, c'est une autre façon de nommer les fantômes… remarqua Naïma, effrayée.

– Je reconnais que c'est un peu inquiétant, admit Alexa. Mais on ignore ce que ça veut dire vraiment.

– On ne va pas abandonner juste pour trois mots de latin, dit Kumiko.

– Moi, je n'ai pas peur, déclara Idalina. Kinra Girls *forever* !

Rajani regarda Idalina. Elle était surprenante, parfois, la petite Espagnole !

– Kinra Girls *forever*, répondirent Alexa et Kumiko en même temps.

Rajani hocha la tête. Elle était d'accord pour continuer l'aventure. Naïma hésitait. Malgré tout, elle murmura un faible « Kinra Girls *forever* » entre ses dents serrées.

Rajani appuya sur la touche de l'ordinateur et l'écran devint noir.

Quel sombre mystère recelaient les souterrains ? Y avait-il réellement un trésor ? Et de quel genre de trésor s'agissait-il ?

Dans le royaume des ombres...

TOUT pouvait arriver.

Histoire à suivre...

VOCABuLAIRE

Allora (en italien) : alors.

Bora :
cérémonie sacrée chez les Aborigènes.

Buena sera (en italien) : bonsoir.

Buon appetito (en italien) : bon appétit.

Buon giorno a tutti (en italien) :
bonjour tout le monde.

Churros (en espagnol) :
Les *churros* sont des beignets saupoudrés
de sucre, qui prennent souvent la forme
de gros spaghettis.

Dowie :
chez les Aborigènes, sorte de monde
des esprits qui entoure les vivants.

Esperanza (en espagnol) :
espérance, espoir.

Forever (en anglais) :
toujours, pour toujours.

Löwe (en allemand) : lion.

Melonpan :
pâtisserie japonaise. Le *melonpan*
(ou pain melon) est un petit pain au lait
moelleux recouvert d'un biscuit
sucré croustillant.

Râmen (en japonais) :
plat japonais (importé
vraisemblablement de Chine)
constitué de pâtes dans un bouillon.

Shango :
nom du dieu du Feu, de la Foudre
et du Tonnerre au Bénin.

Si (en italien) : oui.

Sushi (en japonais) :
plat japonais. Le sushi est une
préparation de riz au vinaigre. Il peut se
marier avec toutes sortes d'ingrédients,
notamment le poisson.

LA FÊTE DE « THANKSGIVING » AUX ÉTATS-UNIS

Le quatrième jeudi du mois de novembre, tous les Américains se réunissent en famille pour fêter *Thanksgiving*. Ils commémorent ainsi la fête organisée par les Pères pèlerins (considérés comme les fondateurs des États-Unis) à l'occasion de leur première récolte sur le sol américain.

En effet, lorsqu'en 1620 une centaine de colons anglais débarquent dans la baie de Plymouth en Nouvelle-Angleterre, les débuts de la colonisation sont difficiles et la moitié des arrivants meurent de froid, de faim et de maladie. Ces pèlerins doivent leur salut à un Indien qui, avec l'aide de sa tribu, leur offre de la nourriture, puis leur apprend à pêcher, à chasser et à cultiver du maïs.

Afin de célébrer la première récolte, en 1621, le gouverneur décrète alors trois jours d'action de grâce. Les colons

POUR EN SAVOIR PLUS...

invitent le chef de la tribu et 90 de ses hommes à venir partager leur repas pour les remercier de leur aide. La date de cette fête a souvent changé mais, en 1939, le président américain Franklin D. Roosevelt proclame la journée nationale de *Thanksgiving* le quatrième jeudi de novembre.

C'est une fête très gaie, où les familles aiment se retrouver : les enfants passent une journée entière à jouer avec leurs cousins, pour leur plus grand plaisir ! On déguste le repas traditionnel de *Thanksgiving* qui est composé d'une dinde, animal que les premiers Européens ont découvert en Amérique, et d'une tarte à la citrouille, la citrouille étant le légume qui sauva les pèlerins durant le terrible premier hiver, mais aussi de purées de patates douces ou de pommes de terre, de gelée ou de sauce d'airelle.

LE CODE MULLEE MULLEE

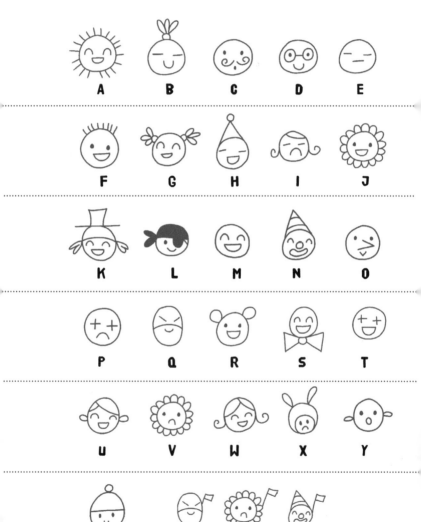

A B C D E

F G H I J

K L M N O

P Q R S T

U V W X Y

Z

La présence d'un accessoire (drapeau, étoile, fleur...) indique le début d'un mot.

Au secours

Danger

Tout va bien

Bora = réunion secrète.
Borakawa = rendez-vous au moulin.
0% = attention, les pestes sont dans le coin.

faire un clin d'œil 2 fois de suite :
SUIVEZ-MOI !

Se mettre un doigt dans le nez :
PESTES EN VUE !

Se tirer l'oreille :
ATTENTION ! Quelqu'un nous écoute !

Se gratter le haut du crâne comme un singe :
BORA

Tirer la langue en serrant le cou :
AU SECOURS ! J'ai été empoisonnée !

S'enfuir en courant :
UN CROCODILE ME COURT APRÈS !

Se frotter le ventre avec une main,
l'autre main sur la hanche :
J'AI VU QUELQUE CHOSE D'INTÉRESSANT
(comme le chat fantôme...)

PLAN DU DOMAINE

Les écuries

Le kiosque et le labyrinthe

Le cirque

L'Académie Bergström

Le moulin abandonné

Imagine la suite de l'histoire avec ta Kumiko !

Poupée de 42 cm, au corps souple et articulé, qui permet à Kumiko de prendre toutes les attitudes.

kinra girls

DÉCOUVRE LES CINQ HÉROÏNES AVANT LEUR RENCONTR

k umiko

i dalina

n aïma

r ajani

a lexa

LE SECRET DE KUMIKO — MOKA

IDALINA CHANTEUSE DE FLAMENCO

NAÏMA ET LE CIRQUE DE NEW YORK — MOKA

RAJANI VEUT DANSER

LE CODE SECRET D'ALEXA — MOKA

Découvre l'histoire de chacune de nos amies avant leur rencontre dans l'Académie internationale Bergström, un collège qui accueille des élèves talentueux du monde entier.

TOMES À PARAÎTRE (TITRES PROVISOIRES) :

(7) Premier amour pour Idalina (janvier 2013)

(8) Le Royaume des ombres (mars 2013)

PUIS SUIS LES AVENTURES DES KINRA GIRLS !

TOME (1) Kumiko, Idalina, Naïma, Rajani et Alexa font leur entrée à l'Académie internationale Bergström. Elles vont découvrir leurs différentes cultures et devenir amies pour la vie.

TOME (2)

Une étrange histoire de trésor et de chat fantôme court à l'Académie Bergström. Nos cinq amies mènent l'enquête...

TOME (3) À la recherche du trésor de l'Académie, les Kinra Girls découvrent un passage secret marqué d'une empreinte de lion. Que signifie-t-elle ?

TOME (4)

Les Kinra Girls découvrent un cimetière abandonné avec une étrange tombe. Est-ce l'indice qui leur manquait pour trouver le trésor ?

TOME (5) Nos cinq amies découvrent le Japon en voyage scolaire. Mais, très vite, les catastrophes s'enchaînent...

ISBN : 9782809647648
Dépôt légal : septembre 2012.
Imprimé en Roumanie par G. Canale & C. S. A.
sur du papier issu de forêts gérées durablement.

Loi n° 49-956 du 16 juillet 1949 sur les publications destinées à la jeunesse.

Textes et illustrations reproduits avec l'aimable autorisation de Corolle.

Mise en page : Isabelle Southgate.
Mise au point de la maquette : Cédric Gatillon.
Roc Prépresse pour la photogravure.

Nous tenons à remercier pour leur contribution à cet ouvrage :
M. Bellamy-Brown ; C. Bleuze ; J.-L. Broust ; S. Champion ; N. Chapalain ;
M. Courvoisier ; A.-S. Congar ; M. Dezalys ; E. Duval ; M.-S. Ferquel ;
D. Hervé ; M. Joron ; A. Le Bigot ; B. Legendre ; L. Maj ; K. Marigliano ;
C. Onnen ; L. Pasquini ; C. Petot ; C. Schram ; M. Seger ; V. Sem ; S. Tuovic ;
K. Van Wormhoudt ; M.-F. Wolfsperger.